CHILE

Sur De Los Andes

Pablo Valenzuela Vaillant

Edición, textos y fotografías · Photographed, written and published by
PABLO VALENZUELA VAILLANT

Diseño y diagramación · Layout and design by
MARGARITA PURCELL MENA

Traducción al inglés · Translated by
PATRICIO MASON

Impresión · Printed by
OGRAMA S.A.

I.S.B.N. 956-7376-06-9

Inscripción - Registration
Nº 106.450

Primera Edición 1998 · First Printing, 1998

Pablo Valenzuela Vaillant

Napoleón 3565 of. 604- Fono/ Fax: 203 7141 · Santiago - Chile

A Mis Padres

INTRODUCCION

Fotografiar los paisajes chilenos ha sido, desde hace años, mi gran pasión. Inspirado en la extraordinaria riqueza natural de mi país -en su vasto desierto, sus glaciares, sus bosques-, siempre he tenido el afán de descubrir y captar aquellos instantes en que la naturaleza alcanza su mayor expresión. Una búsqueda incesante, sin límites, que persigue rescatar aquellos momentos únicos e irrepetibles.

A través de la fotografía de paisajes he logrado establecer una relación muy especial con la naturaleza. Caminando por los bosques y las montañas he aprendido a disfrutar de las cosas simples de la vida, a gozar del viento, la lluvia, la nieve.

Junto con ser una expresión artística en la cual yo comprometo todos mis sentidos, en la fotografía existe un sólido vínculo entre mi persona y el objeto que yo capto. Yo vibro con los paisajes, los amo profundamente y es por esta razón que al fotografiarlos entrego toda mi energía.

Con estas imágenes quisiera contribuir al conocimiento y valoración de la naturaleza de nuestro país. Mi gran sueño es que exista un sentimiento profundo y generalizado de admiración por nuestra tierra. Que exista la convicción de que es urgente preservar este patrimonio natural -único en el planeta-, para el goce de ésta y las futuras generaciones.

Pablo Valenzuela Vaillant

INTRODUCTION

Photographing Chilean landscapes has been my overriding passion for years. The extraordinary natural beauty of the vast deserts, glaciers, and forests of my country has never failed to inspire me as I hunt down and capture those fleeting moments when nature is at its apex. Mine is a boundless, never-ending quest to seize the unique instant that can never be repeated again.

Landscape photography has led me into a very special relationship with nature. Years of hiking through forests and mountains have driven home the value of the simple things in life -wind, rain, snow.

In addition to standing as an artistic expression to which I devote each one of my senses, these photographs evince the strong bond that exists between myself and the objects I capture on film. I am strongly moved by nature; I cherish it deeply, and I photograph it with every ounce of energy I possess.

With these photographs I hope to contribute to the understanding and appreciation of the great Chilean outdoors. My fondest dream is for all to deeply cherish our land; for all to realize that this unique natural heritage -not to be found anywhere else on the planet- is in urgent need of protection for the enjoyment of present and future generations.

Pablo Valenzuela Vaillant

Nevados de Quimsachatas

Mt. Quimsachatas

Camino a Laguna del Negro Francisco

Road to Negro Francisco Lagoon

Laguna Verde al Atardecer

Verde Lagoon at Dusk

Tepas en Invierno, Lago El Toro

Tepas in Winter, El Toro Lake

Lengas en Invierno, Sierra Nevada

Lengas in Winter, Sierra Nevada

Bosque de Fray Jorge

The Woods of Fray Jorge

Laguna Captren

Captren Lagoon

Atardecer Tormentoso, Valle del Rio Volcan

Stormy Evening, Volcan River Valley

Salar de Surire

Surire Salt Lake

Lago Sarmiento

Lake Sarmiento

Lago Conguillio

Lake Conguillio

Robles en Cordillera Maulina

Robles in The Mountains of Maule

Ventisquero San Rafael

San Rafael Glacier

Laguna San Rafael

San Rafael Lagoon

Lengas y Ñirres en Otoño, Cerro Castillo

Lengas and Ñirres in Autumn, Cerro Castillo

Parque Nacional Puyehue

Puyehue National Park

Bofedal Congelado, Parinacota

Frozen Grasslands, Parinacota

Volcan Rano Raraku, Isla de Pascua

Mt. Rano Raraku, Easter Island

Parque Nacional Nevado Tres Cruces

Nevado Tres Cruces National Park

Parque Nacional Nahuelbuta

Nahuelbuta National Park

Lago Conguillio Congelado

Frozen-over Lake Conguillio

Macizo del Paine, Patagonia

Paine Massif, Patagonia

HIELOS EN UN BOFEDAL

ICED-OVER GRASSLANDS

Penitentes, Altiplano de Copiapo

Penitentes, Highlands of Copiapo

Rauli en Otoño, Valle del Cautin

Rauli in Autumn, Cautin River Valley

Bosque de Raulies, Malalcahuello

Rauli Forest in Malalcahuello

Altiplano de Copiapo

Highlands of Copiapo

Camino a Lequena

Road to Lequena

Sierra Nevada

Sierra Nevada

Laguna Captren Congelada

Frozen-over Captren Lagoon

Araucarias, Piedra del Aguila

Araucarias, Piedra del Aguila

44

Lengas, Patagonia

Lengas, Patagonia

Reserva Nacional Cerro Castillo

Cerro Castillo National Reserve

Campos de Raps, Valle del Cautin

Rapeseed Fields, Cautin River Valley

Patagonia

Patagonia

Rio Porcelana

Porcelana River

Cuernos del Paine

Cuernos del Paine

Bahia de Dichato

Dichato Bay

Cobquecura

Cobquecura

ARAUCARIAS EN INVIERNO, CONGUILLIO

ARAUCARIAS IN WINTER, CONGUILLIO

Raulies y Coihues, Puesco

Raulies and Coihues, Puesco

Olivillos, Lago Villarrica

Olivillo Trees, Lake Villarrica

Bosque y Neblina

Woodlands in the Mist

Coihues en el Valle del Golgol

Coihues, Golgol River Valley

Tempanos en el Seno Garibaldi

Ice Floes on Garibaldi Sound

Lago Grey

Lake Grey

Las Cuevas, Arica

Las Cuevas, Arica

Salar de Carcote

Carcote Salt Lake

Cordillera de Las Raices

Las Raices Mountain Range

Barranquillas

Barranquillas

Volcan Rano Raraku, Isla de Pascua

Mt. Rano Raraku, Easter Island

Geisers del Tatio

El Tatio Geysers

Laguna Santa Rosa

Santa Rosa Lagoon

Laguna Chica, Parque Nacional Huerquehue

Chica Lagoon, Huerquehue National Park

Lago El Toro, Parque Nacional Huerquehue

Lake El Toro, Huerquehue National Park

Monumento Natural Alerce Costero

Alerce Forest Heritage Site

Sombras del Bosque, Volcan Llaima

Shadows of the Forest, Mt. Llaima

Lago Todos Los Santos

Lake Todos Los Santos

Quintero

Quintero

Santa Barbara, Chaiten

Santa Barbara, Chaiten

Rio Baker en Otoño

Baker River in Autumn

Carretera Austral

Southern Roadway

Costa de Constitucion

Coastline Near Constitucion

82

Laguna Santa Rosa

Santa Rosa Lagoon

Lago Pehoe

Lake Pehoe

Indice de Fotografias

List of Plates